L'appel
du
Miaou-Miaou

Responsable de la collection : Frédérique Guillard
Direction artistique : Bernard Girodroux, Claire Rébillard, Laurence Moinot

Publié pour la première fois dans la collection Marquepage
© Éditions Nathan, 1991.
© Éditions Nathan (Paris-France), 1996, pour la présente édition.

MICHEL PIQUEMAL

L'appel
du
Miaou-Miaou

Illustrations d'Alexios Tjoyas

NATHAN

un

Cochon de chat
de gouttière !

Miaou ! Miaouou !! Miaououou !!!

Monsieur Mathurin se réveille en sursaut :

– Dieu du ciel, encore ce maudit chat ! Trois nuits qu'il me réveille.

Il saute du lit, descend l'escalier quatre à quatre et sort dans le jardin.

– Miaou ! Miaouou !! Miaououou !!!

« Cette fois, pense-t-il, ton compte

est bon. Je m'en vais te tordre le cou… »

– Approche ici, mon gentil minou… Minet, minet, minet… Approche !

Mais l'animal, pas si bête, déguerpit par le portail.

– Cochon de chat de gouttière ! J'aurai ta peau même si je dois y passer la nuit.

Et monsieur Mathurin se lance en pyjama à sa poursuite :

– Minet, minet, minet… Viens, mon minou !

Le chat se laisse approcher, mais dès qu'il est presque à portée de main… hop ! Il file un peu plus loin. Fou de rage, monsieur Mathurin continue à courir dans les rues du village. Tant et si bien qu'il se retrouve en pyjama sur la route de Troularac.

– Je te suivrai au bout du monde, mais je t'aurai !

Hélas, une nappe de brouillard envahit complètement la campagne. Monsieur Mathurin va-t-il perdre la trace du chat ? Non, car les yeux du matou brillent comme des phares ! Et il les suit sans hésiter. Pourtant, cinq minutes plus tard, le brouillard se fait si épais qu'il se retrouve dans le noir complet.

Et ses ennuis commencent…

Croyant apercevoir le clocher du village, il se dirige à tâtons et… pan ! Il se cogne contre un platane. Il change de direction, marche un peu à l'aveuglette… vlan ! dans un fossé ! Il se relève, les fesses endolories, mouillées par l'eau du ruisseau, et lance au ciel mille injures abominables. Puis il se ressaisit :

– Allons, Mathurin, du calme ! Le village ne peut être bien loin.

Il avance à nouveau, en prenant d'infinies précautions, jusqu'au moment où il sent une planche de bois au bout de ses doigts.

– Ça y est, je sais où je suis ! Ce ne peut être qu'un banc de la promenade. Mille dieux ! Je l'ai échappé belle ! L'esplanade est en travaux et les ouvriers ont laissé quelque part un énorme trou dans lequel j'aurais bien pu tomber…

Une sueur glacée lui coule dans le dos.

– À cause de ce maudit chat, j'ai failli me tuer !

Il s'allonge sur un banc et ferme les yeux.

« Après tout, se dit-il, il suffit de prendre patience. Dans quelques heures, le soleil va se lever et je rentrerai chez moi avant que tout le village ne me trouve ici en pyjama. »

Une petite brise vient lui chatouiller les narines. Monsieur Mathurin oublie ses soucis et s'endort.

deux

Voyage en pyjama

Pauvre de lui ! C'était la dernière chose à faire ! Pendant son sommeil, le chef de gare donne le signal du départ et le train de marchandises s'éloigne, l'emportant à des kilomètres de chez lui. Le train ! Quel train ?... Mais celui dans lequel il a pris place, allongé dans un wagon ! Car lorsqu'il se croyait sur la promenade, il était en fait dans la petite gare du village ; et lorsqu'il s'imaginait sur un banc, il se trouvait sur la plate-forme d'un wagon. Fâcheuse méprise !

Le train prend de la vitesse et le vent gifle le visage de monsieur Mathurin. Il ouvre les yeux et pousse un cri de terreur. Ne vous moquez pas de lui ! Qu'auriez-vous fait à sa place ? Ce n'est pas drôle de se retrouver en pleine nuit dans un wagon à bestiaux, en route pour une destination inconnue… et, qui plus est, en pyjama.

Il s'affole, panique :

– Il faut à tout prix que je saute ! Mais comment faire avec ce maudit brouillard ? Je risque de plonger dans un lac ou de m'écraser contre un poteau. Non, c'est trop dangereux. Pas question de sauter ! Le train finira bien par s'arrêter.

En effet, au petit matin, le train fait halte dans une gare. Monsieur Mathurin pointe le nez par le portail du wagon. Le brouillard s'est enfin levé. Il aperçoit une foule de gens qui circulent dans tous les sens.

– Mais pourquoi y a-t-il tant de gendarmes ?

Il ne manquait plus que ceux-là !

Monsieur Mathurin est un monsieur très respectable. Si on le trouve en pyjama au milieu de la foule, il sera la risée de son village. Il hésite mille fois à descendre, s'imaginant toujours au moment fatidique les moqueries de ses voisins, sa vie définitivement ruinée.

À tant réfléchir, c'est finalement le train qui décide pour lui et redémarre sans lui demander son avis. Voilà monsieur Mathurin reparti pour une destination inconnue.

Il reste pensif, assis sur le marche-pied, guettant un ralentissement. Pauvre monsieur Mathurin !

Le train traverse des montagnes et le vent devient glacial.

Brrr ! Il est pris de frissons. Atchoum !
Il éternue.

– Si je ne rentre pas dans le wagon,
je vais attraper la crève.

Hélas ! C'est déjà chose faite.
Monsieur Mathurin n'en finit plus de
se moucher et d'éternuer.

Grelottant de fièvre, il s'allonge dans
un recoin du wagon et rassemble un
peu de paille autour de lui. Lorsque le
train s'arrête enfin, il se sent si faible
qu'il n'a même pas la force de bouger.
Il entend des bruits de pas ; puis la
porte s'ouvre en grinçant, découvrant
le visage d'un employé qui le regarde,
éberlué.

trois

Histoire de fou !

L'HOMME entre dans le wagon et le questionne dans une langue étrangère. Monsieur Mathurin réalise alors sa méprise : ce n'étaient pas des gendarmes, mais des douaniers qu'il a aperçus à la dernière gare… Il a donc passé la frontière, en fraude et sans papiers !

Péniblement, il se lève pour essayer de s'expliquer. Mais il ne sort de sa gorge que de pauvres sons tout rauques. Voilà ce que c'est que de s'exposer au froid ! Que voulez-vous qu'un étranger qui ne connaît pas le français comprenne à de tels borborygmes ? Et que peut-il penser de lui ? Un fou !… Sans doute un fou échappé d'un asile…

L'employé le prend gentiment par le bras et l'emmène dans le hall de la gare où tout le monde l'examine en souriant. On lui offre un bol de lait chaud et le chef de service téléphone à droite et à gauche. Monsieur Mathurin ne comprend pas un traître mot de ce qu'il raconte. Où peut-il donc bien être ? Dans quelle région ? Dans quel pays ? Qu'importe ! Ces gens-là ont l'air bien gentils.

Pourtant, lorsque vingt minutes plus tard deux grands costauds viennent le

chercher, il se sent moins rassuré. Il essaie d'arracher quelques mots du fin fond de sa gorge. Rien à faire. Il a bel et bien une extinction de voix.

Lui prenant la main comme s'il était un gosse de quatre ans, les deux hommes l'entraînent vers une voiture. Monsieur Mathurin aperçoit le gyrophare et la croix rouge peinte sur le capot.

– Malheur ! Une ambulance ! Ils me prennent pour un fou ! Si je les suis, je suis bon pour l'asile !

À grands coups de coude, il bouscule les deux hommes et file sans demander son reste. Furieux, les infirmiers le poursuivent en vociférant. Une chance pour monsieur Mathurin, les rues sont encore désertes à cette heure de la matinée…

Il traverse une avenue, avise une ruelle, s'y engage, toujours talonné par ses poursuivants… Une impasse ! Cette fois, son compte est bon !

Non ! Il lui reste encore une petite chance : là, sur sa gauche, un escalier de secours… Il grimpe les marches métalliques deux par deux ; mais au troisième étage, il n'en peut déjà plus. Soufflant comme un phoque, il s'engouffre derrière la première porte. Le voilà dans un luxueux couloir avec moquette et tableaux aux murs. Sur chaque porte, une plaque de cuivre, un numéro en lettres dorées : « Sans doute un hôtel », se dit monsieur Mathurin. Bling ! Blang ! Bling ! Les pas des infirmiers font vibrer l'escalier métallique. D'un instant à l'autre, ils vont déboucher dans le couloir.

Il n'a pas le choix. Il ouvre une porte
au hasard et pénètre dans une chambre.

quatre

Mathurin
prend du galon

LA lumière y est allumée, le lit est défait mais vide. À pas de loup, monsieur Mathurin va écouter à la porte de la salle de bains. Il perçoit un bruit de douche, la voix d'un homme qui chante faux…

Vite, il faut se cacher ! Mais où ? Dans l'armoire ? Sous le lit ?… Il jette un coup d'œil circulaire. Et ce qu'il voit alors auréole son visage d'un large sourire.

Là, tout près, dans la penderie ouverte, se trouve la solution à tous ses problèmes : un superbe costume de militaire et une paire de souliers vernis. Monsieur Mathurin, qui a toujours rêvé d'être général, n'hésite pas. Un, deux, trois... il est tout nu... Quatre, cinq, six... le voilà officier, et sans doute d'un très haut rang, à en juger par les épaulettes et le képi. Hé, hé !... Il n'est pas peu fier !

Un regard dans le couloir pour s'assurer que la voie est libre, et monsieur Mathurin quitte la chambre. Instinctivement, il prend même l'allure martiale d'un grand chef de guerre. Par un ascenseur capitonné, il gagne le rez-de-chaussée. C'est vraiment un très bel

hôtel, avec grooms et personnel en livrée. Dans le hall, il aperçoit les infirmiers qui, désemparés, discutent avec le réceptionniste. Il passe devant eux, un sourire narquois au coin des lèvres. Hélas, une fois la grande porte à tambour franchie, son sourire se change en rictus : deux soldats sont là pour l'accueillir, figés dans un impeccable garde-à-vous.  Derrière eux, un troisième ouvre respectueusement la portière d'une grosse limousine noire…

« Catastrophe ! se dit Mathurin, ils me prennent pour leur général ! »

Il voudrait bien faire demi-tour, mais il songe aux infirmiers qui l'attendent dans le hall. Alors, la mort dans l'âme, il monte…

Le chauffeur referme précautionneusement la portière, remet son képi et

s'installe au volant. Monsieur Mathurin en a des vapeurs. Dans quel pétrin
est-il encore allé se fourrer ?

La voiture quitte la ville et roule
durant plusieurs heures. Elle gagne
des routes de montagne où circulent
de nombreux véhicules de l'armée.
De temps à autre, le chauffeur s'arrête pour présenter des papiers à des
soldats en armes. Monsieur Mathurin
sue à grosses gouttes. À n'en pas
douter, il est désormais dans une zone
militaire interdite. La voiture franchit
des barrages et encore des barrages
pour se garer enfin devant une grande
bâtisse blanche. Mais en descendant
du véhicule, quelle n'est pas sa
surprise de se voir applaudi, photo-
graphié, filmé par une nuée de jour-
nalistes ! Le général dont il a pris la

place doit être un sacré bonhomme !

Monsieur Mathurin se prend au jeu. Il salue gentiment la foule et donne quelques poignées de main. Une délégation d'officiels s'avance. Sous un crépitement de flashes, il lui faut encore et encore serrer des mains, sourire et toujours sourire… sans prononcer un seul mot.

On l'invite à pénétrer dans une salle équipée d'énormes appareils scientifiques ; on lui montre des cadrans lumineux – qui restent pour lui très obscurs – … et au bout du compte, on lui fait endosser un drôle de costume, semblable aux scaphandres des cosmonautes.

« Mille dieux ! se dit Mathurin, ils ne vont tout de même pas m'envoyer sur la Lune ? »

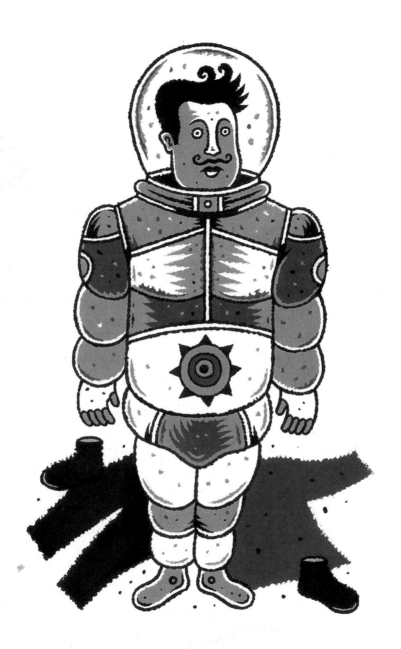

Pourtant, le scaphandre sur le dos, le voilà maintenant dans une capsule qui ressemble à s'y méprendre à celle d'une fusée. Une dernière poignée de main et la lourde porte se referme. Horreur ! Sur un écran de télé défile un compte à rebours : 10… 9… 8… 7… 6… 5… 4… 3… 2… 1… Monsieur Mathurin retient sa respiration : … Zéro !

Dans un bruit d'enfer, la fusée décolle vers le ciel, lui donnant un désagréable haut-le-cœur.

« Quelle catastrophe ! pense-t-il. Que vais-je devenir ? Moi qui ai le mal de mer sur une barque… Et ces militaires sur l'écran qui n'arrêtent pas de parler dans une langue dont je ne comprends pas un mot ! Où donc m'envoient-ils ? Sur la Lune ? Sur Mars ? Explorer une

planète à l'autre bout de la galaxie ?
Moi, Robert Marcel Mathurin, qui ne
suis jamais allé plus loin que Troularac ! Maudit chat de gouttière ! Tout est
de sa faute ! C'est terrible, terrible, terrible ! »

cinq

De grands bras velus...

Lorsqu'on est seul dans une fusée fonçant en droite ligne dans l'espace, le temps ne compte plus. Combien de jours, de mois, d'années ou de secondes dura son voyage en astronef ? Monsieur Mathurin n'en eut pas la moindre idée. Son esprit baignait dans une étrange torpeur causée par l'apesanteur. Jusqu'au moment où la fusée téléguidée se posa sur une planète au sol désertique. La porte s'ouvrit.

« Très bien, se dit Mathurin soudain réveillé, je vais faire semblant de ramasser quelques cailloux, puis ils me ramèneront sur la Terre. »

Et le voilà qui descend, posant le pied sur une drôle de matière à consistance de caoutchouc. Il marche un peu, en arrache quelques morceaux qui collent aux doigts comme de la pâte à beignets et se dispose à retourner vers l'astronef. Il n'est pas bien rassuré. Cette planète ne lui paraît guère sympathique. Comme il fait bien de se méfier !

De grands bras velus surgissent soudain des profondeurs de la terre, le saisissent et l'entraînent. De terribles griffes lui lacèrent la peau et tirent son

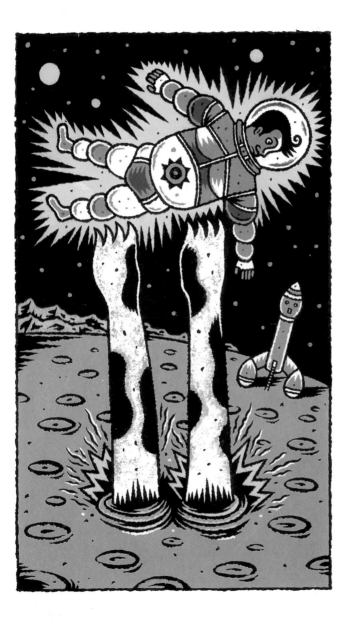

pauvre corps meurtri, par de longues galeries, au centre de la planète où il fait noir comme dans un four.

Mathurin est poussé, bousculé, malmené, traîné puis jeté dans une grande salle.

Il n'a même pas eu le temps de pousser un cri ! Deux gigantesques lumières vertes sont braquées sur lui.

Clignant des paupières, il essaie de distinguer où il se trouve.

Et là, il dépasse les limites du cauchemar : assis sur un trône énorme, un chat monstrueux le fixe avec un mauvais sourire. Monsieur Mathurin étouffe de terreur : le chat ! Le chat qu'il poursuivait !

Il se lève et supplie. Le chat pousse un furieux miaulement et pointe ses griffes menaçantes. Monsieur Mathu-

rin recule, se traîne et… vlan ! va se cogner contre une muraille de pierre.

Dieu du ciel ! Quel réveil brutal ! Monsieur Mathurin est chez lui, à quatre pattes au pied de son lit, le crâne contre le mur et l'ampoule de sa lampe de chevet dirigée vers ses yeux !

Ouf ! Il l'a échappé belle ! Il s'éponge le front de soulagement et se lève pour ouvrir la fenêtre. Après toutes ces émotions, un peu d'air frais lui fera du bien.

– Miaou ! Miaouou !! Miaouououou !!! fait le chat dans le jardin.

– Joli minet, gentil petit minet, dit monsieur Mathurin, tu peux bien miauler tant que tu voudras, je ne bougerai pas de chez moi !

TABLE DES MATIÈRES

Michel Piquemal

Chaque soir – et même le jour ! – il pousse des miaulements déchirants : combien de lecteurs, déjà, sont partis à l'aventure après avoir entendu son appel irrésistible…

Alexios Tjoyas

Il naît en Éthiopie, un pays où l'on admire un gros gros chat : le Lion de Judée. Un jour, il a fallu quitter cette terre d'Afrique pour la France, qui le déçoit : il n'y a que des chats de taille normale dans ses rues. Mais le destin lui fait rencontrer Pablo, un chat Bouddha qui lui rappelle le majestueux Lion de Judée.

Pablo lui miaule constamment sa devise : rester tranquille et ne pas s'en faire, même quand il lui réclame très tôt le matin son repas de lion !

N° d'éditeur : 10027369 - (1) - (8) - CSBP - 170 — Avril 1996
Impression et reliure : Pollina s.a., 85400 Luçon - n° 69501
ISBN 2-09-275001-1